VERBOTS
LEARN
SPANISH VERBS

RORY RYDER

Published by Tsunami Systems

Published by
Tsunami Systems, S.L. B- 63311435
Plaza Urquinaona 11, 3-2 08010 Barcelona, Spain
www.learnverbs.com

First Edition Tsunami Systems S.L. 2008

Spanish Version - 9788496873223

Author - Rory Ryder - Illustrated by Andy Garnica

ALL RIGHTS RESERVED WORLDWIDE
Plaza Urquinaona 11, 3-2 08010 Barcelona, Spain
Editorial
Tsunami Systems, S.L.

www.learnverbs.com

Primera Edition Tsunami Systems S.L. 2008

Versión Espanol

Author - Rory Ryder - Ilustraciones - Andy Garnica

Reviews

Sue Tricio -Thurrock & Basildon College – *"This book is easy to refer to and very good for learning the raw forms of the verbs and the pictures are a great help for triggering the memory. The way the story comes together is quite amazing and students found the colour-coded verb tables extremely useful, allowing the eye to go straight to the tense they are working on. Students have found the speaking pronunciation on your website very useful and I would say that when it is used correctly this book is idiot-proof."*

Suzi Turner – Hulme Hall Grammar School – *"An invaluable and motivational learning tool which is bright and focused and easy for pupils to relate to. I think it's an extremely clever idea and I wish I'd thought of it myself - and got it published! Both the pupils & myself loved using it."*

Mrs. K. Merino – Head of Spanish – North London Collegiate School – *"My students really enjoy the pictures because they are intriguing and amusing and they thought the verb tables were excellent for revising for their GCSE Spanish exams."*

Maggie Bowen – Head of Year 11 – Priory Community School -*"An innovative & motivating book that fires the imagination, turning grammar into a non-frightening & enlightening element of learning a language. A much awaited medium that helps to accelerate student's learning & achievement."*

Karen Brooks – Spanish Teacher – Penrice Community College – *"Verbs are bought to life in this book through skilful use of humorous storytelling. This innovative approach to language learning transforms an often dull and uninspiring process into one which is refreshing and empowering."*

Susana Boniface - Kidderminster College -*"Beautifully illustrated, amusing drawings, guaranteed to stay easily in the mind. A very user-friendly book. Well Done!"*

Sandra Browne Hart – Great Cornard Technology College -*"Inspired – the colour-coding reinforces the dependable patterns of Spanish verbs, in* *whatever tense. The pictures are always entertaining - a reminder that we also learn through laughter and humour."*

R. Place – Tyne Metropolitan College – *"The understanding and learning of verbs is probably the key to improving communication at every level. With this book verbs can be learnt quickly and accurately."*

Mrs. A. Coles – High Down School – *"Superb presentation. Very clear colour-coding of different tenses. Nice opportunity to practice the pronunciation. It appealed to one colleague who had never done Spanish but wanted to get started 'after seeing the book.' A great compliment to you!"*

Lynda McTier – Lipson Community College - *"No more boring grammar lessons!!! This book is a great tool for learning verbs through excellent illustrations. A must-have for all language learners."*

Christine Ransome – Bearwood College - *"A real gem of a linguistic tool which will appeal to both the serious scholar and the more casual learner. The entertaining presentation of basic grammar is inspirational, and its simplicity means more retained knowledge, especially amongst dyslexic language scholars."*

Ann Marie Buteman – St Edwards – *"The book is attractive, enlightening and intriguing. The students enjoy the pictures and retain the meaning. The coloured system for tenses is great! Visually, the book maintains enthusiasm and inspires and accelerates the assimilation of verbs and tenses. Superb!"*

Paul Delaney- St Martins -*"We have relatively few Spanish students but we have to get them to GCSE quickly. This verb guide is an ideal supplement to their textbooks and an invaluable aid for coursework success. The free online resources are an added bonus and 100% of all students thought this website was a good idea."*

Mrs. Eames - Akeley Wood School – *Good quality, easy to use – and a fantastic idea of colouring the verbs. It's a super facility to have pronunciation on the website. Students have turned around from lack of enthusiasm & feeling overwhelmed by verbs to 'this is fun, Miss!' and learning 3 verbs in a lesson – a first, very impressed. This book has renewed my interest too."*

Introduction

Memory

When learning a language, we often have problems remembering the words; it does not mean we have totally forgotten them. It just means that we can't recall them at that particular moment. This book is designed to help people recall the verbs and their conjugations instantly.

The Research

Research has shown that one of the most effective ways to remember something is by association. The way the verb (keyword) has been hidden in each illustration to act as a retrieval cue stimulates long-term memory. This method is 7 times more effective than passively reading and responding to a list of verbs.

> "I like the idea of pictures to help students learn verbs. This approach is radically different from many other more traditional approaches. I feel that many students will find this approach effective and extremely useful in their language learning."
>
> **Cathy Yates** – Mid Warwickshire

New Approach

Most grammar and verb books relegate the vital task of learning verbs to a black & white world of bewildering tables, leaving the student bored and frustrated. VERBOTS LEARN committed to clarifying the importance of this process through stimulating the senses not by dulling them.

Beautiful Illustrations

The illustrations come together to form a story, an approach beyond conventional verb books. To make the most of this book, spend time with each

> "An innovative way of looking at the often tedious task of learning verbs. Clever illustrations are memorable and this is the way forward – visual interest is vital for the modern day pupil."
>
> **Tessa Judkins** – Canbury School

picture to become familiar with everything that is happening. The pictures construct a story involving characters, plots & subplots, with clues that add meaning to other pictures. Some pictures are more challenging than others, adding to the fun.

more importantly, aiding the memory process. The random order of illustration in this book will also help to assit the memory process.

Keywords

We have called the infinitive the 'keyword' to refer to its central importance in remembering the 36 ways it can be used. Once you have located the keyword and made the connection with the illustration, you can start to learn each colour-tense.

> "Apart from the colourful and clear layout of the verbs, the wonderful pictures are a source of inspiration even for the most bored of minds and can lead to all kinds of discussions at different levels of learning. Hiding the verbs in the picture is a great version of "Where's Wally" AND the book has a story-line!"
>
> **Andy Lowe** – The Bolitho School

Colour-Coded Verb Tables

The verb tables are designed to save learners valuable time by focusing their attention and allowing them to make immediate connections between the subject and verb. Making this association clear & simple from the beginning gives them more confidence to start speaking the language.

Independent Learning

VERBOTS LEARN can be used as a self-study book, or it can be used as part of a teacher-led course. Pronunciation of all the verbs and their conjugations (spoken by a native speaker) are available online at:◀)))
www.learnverbs.com.

> "The online pronunciation guide is an excellent tool. Why bother with silly phonetics when you can actually hear a native speaker pronounce it?"
>
> www.barcelonaconnect.com

Master the Verbs Once you are confident with each colour-tense, congratulate yourself because you will have learnt over 3600 verb forms - an achievement that takes some people years to master!

Introducción

Recordar El hecho de no recordar un verbo en un momento detern
nado no significa que lo hayamos olvidado por completo. Este libro e:
diseñado para ayudarnos a recordar rápidamente el verbo y sus conjug
ciones.

Ilustraciones Las carac-
terísticas más innovadoras de
este libro son la ilustración de
una situación para entender o
recordar el significado del
verbo en cuestión y la uti-
lización de un código de colores para identificar los tiempos verbales.

> *"Me encanta la idea de usar dibujos para*
> *ayudar a los alumnos a aprender los ver-*
> *bos. Este enfoque es totalmente diferente*
> *utilizado por la mayoría de gramáticas*
> *tradicionales. Estoy convencida de que*
> *para muchos alumnos este método será*
> *una herramienta útil y eficaz".*
>
> **Cathy Yates** – *Mid Warwickshire College*

Enfoque Revolucionario Verbots Learn representa un enfo
revolucionario en el aprendizaje de idiomas, centrándose en los verbos
utilizados y facilitando su rápida memorización o su simple repaso.

Aprendizaje Básico No cabe duda que el aprendizaje de las co
gaciones verbales es básico para alcanzar el dominio de cualquier leng
A pesar de ello, la mayoría de gramáticas relegan este aspecto a una m
tud de tablas desconcertantes y monótonas que simplemente consigue
frustración y el abandono
alumno.

> *"Presentación colorista e ilustraciones*
> *atractivas que motivan al lector y le ayu-*
> *dan a reconocer los verbos".*
>
> **Kant Mann** – *Beechen Cliff*

En cambio, el libro que tien
sus manos hará del estudi
los tiempos verbales una e
riencia divertida y gratific
gracias al uso de ilustraci
llamativas y tablas de colores, ahorrándole tiempo y animándole al us
la expresión oral del idioma.

Innovación Pedagógica Diversos estudios han demostrado
una de las estrategias más eficaces que existen para recordar lo aprer
es la asociación de ideas. Por ello, la forma en la que el verbo se escon
cada ilustración no es casual. El aprendizaje activo y no la lectura pas
un listado de infinitivos quintuplica su facilidad para una memoriz:
posterior.

Para aprovechar al máximo este libro, examine con detenimiento cada ilustración hasta familiarizarse con todos los detalles. Descubrirá un relato, personajes que aparecen en diversas ocasiones, simbolismos, argumentos principales y secundarios e ilustraciones que se complementan las unas con las otras.

En algunos casos, le será difícil descifrar el verbo que describe la situación. Pero no se preocupe, ello estimulará tanto su interés como la memoria.

> *"Claro y útil para distinguir las formas verbales. Considerado el mejor libro de verbos por los alumnos".*
>
> **Andrea White** – *Bristol Grammar School*

Palabras Clave   El infinitivo constituye la palabra clave ya que mediante su aprendizaje y visualización conseguirá recordar fácilmente las treinta y seis formas en que puede ser usado. Una vez haya localizado el verbo y la ilustración, puede empezar a estudiar cada color (que marca un tiempo verbal)

Estimulando el Aprendizaje Autónomo

> *"La guía de pronunciación online es una herramienta excelente. ¿Por qué complicarse en explicar símbolos fonéticos cuando se puede oír la pronunciación de un nativo?"*
>
> *www.barcelonaconnect.com*

Verbots Learn puede ser utilizado como libro de autoaprendizaje o puede complementar cualquier método o clase. La pronunciación de los verbos y sus respectivas conjugaciones puede consultarse en Internet en la siguiente página web:

◀))) www.learnverbs.com.

La guía de pronunciación online es una herramienta excelente. ¿Por qué complicarse en explicar símbolos fonéticos cuando se puede oír la pronunciación de un nativo?

Domine los Verbos Rápidamente
Una vez se haya familiarizado con cada color (tiempo verbal), ¡enhorabuena! – Significa que ha aprendido más de 3600 formas verbales en un tiempo récord, ya que muchas personas tardan años en conseguirlo.

To Barcelona

Age guide

AGE	Locate all verbs in the 101 illustrations.	Learn Tense(s).	Build sentences using the verbs	Go to webside and learn the pronunciation of the verb.	Have full command of all conjugations spoken and written.
8-12	✓	●	✗	✗	✗
12-16	✓	●●●	✓	✓	✗
Avanzado	✓	●●●●●●	✓	✓	✓

Manual de uso por edades

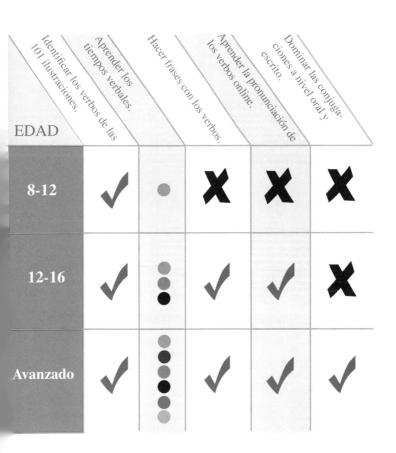

EDAD	Identificar los verbos de las 101 ilustraciones.	Aprender los tiempos verbales.	Hacer frases con los verbos.	Aprender la pronunciación de los verbos online.	Dominar las conjugaciones a nivel oral y escrito.
8-12	✓	●	✗	✗	✗
12-16	✓	●●●	✓	✓	✗
Avanzado	✓	●●●●●●	✓	✓	✓

Regular Verbs

		-ar	-er	-ir
		Hablar	**Beber**	**Decidir**
PRESENTE	Yo	Habl o	Beb o	Decid o
	Tú	Habl as	Beb es	Decid es
	Ella	Habl a	Beb e	Decid e
	Nos.	Habl amos	Beb emos	Decid imos
	Vos.	Habl áis	Beb éis	Decid ís
	Ellas	Habl an	Beb en	Decid en
IMPERFECTO DE INDICATIVO	Yo	Habl aba	Beb ía	Decid ía
	Tú	Habl abas	Beb ías	Decid ías
	Ella	Habl aba	Beb ía	Decid ía
	Nos.	Habl ábamos	Beb íamos	Decid íam
	Vos.	Habl abais	Beb íais	Decid íais
	Ellas	Habl aban	Beb ían	Decid ían
PRETÉRITO	Yo	Habl é	Beb í	Decid í
	Tú	Habl aste	Beb iste	Decid iste
	Ella	Habl ó	Beb ió	Decid ió
	Nos.	Habl amos	Beb imos	Decid imo
	Vos.	Habl asteis	Beb isteis	Decid iste
	Ellas	Habl aron	Beb ieron	Decid ierc
FUTURO	Yo	Hablar é	Beber é	Decidir é
	Tú	Hablar ás	Beber ás	Decidir ás
	Ella	Hablar á	Beber á	Decidir á
	Nos.	Hablar emos	Beber emos	Decidir en
	Vos.	Hablar éis	Beber éis	Decidir éis
	Ellas	Hablar án	Beber án	Decidir án
CONDICIONAL SIMPLE	Yo	Hablar ía	Beber ía	Decidir ía
	Tú	Hablar ías	Beber ías	Decidir ía
	Ella	Hablar ía	Beber ía	Decidir ía
	Nos.	Hablar íamos	Beber íamos	Decidir ía
	Vos.	Hablar íais	Beber íais	Decidir ía
	Ellas	Hablar ían	Beber ían	Decidir ía
PERFECTO DE INDICATIVE	Yo	He habl ado	He beb ido	He decic
	Tú	Has habl ado	Has beb ido	Has decic
	Ella	Ha habl ado	Ha beb ido	Ha decic
	Nos.	Hemos habl ado	Hemos beb ido	Hemos decic
	Vos.	Habéis habl ado	Habéis beb ido	Habéis decic
	Ellas	Han habl ado	Han beb ido	Han decic

learnverbs.com

Presente	Imperfecto	Pretérito	Futuro	Cond.	Perfecto
dirijo	dirigía	dirigí	dirigiré	dirigiría	he dirigido
diriges	dirigías	dirigiste	dirigirás	dirigirías	has dirigido
dirige	dirigía	dirigió	dirigirá	dirigiría	ha dirigido
dirigimos	dirigíamos	dirigimos	dirigiremos	dirigiríamos	hemos dirigido
dirigís	dirigíais	dirigisteis	dirigiréis	dirigiríais	habéis dirigido
dirigen	dirigían	dirigieron	dirigirán	dirigirían	han dirigido

🔊))) learnverbs.com

Sub.	Presente	Imperfecto	Pretérito	Futuro	Cond.	Perfec
Yo	tengo	tenía	tuve	tendré	tendría	he ten
Tú	tienes	tenías	tuviste	tendrás	tendrías	has ten
Él Ella Ud.	tiene	tenía	tuvo	tendrá	tendría	ha ten
Nos.	tenemos	teníamos	tuvimos	tendremos	tendríamos	hemos t
Vos.	tenéis	teníais	tuvisteis	tendréis	tendríais	habéis t
Ellos Ellas Uds.	tienen	tenían	tuvieron	tendrán	tendrían	han ter

learnverbs.com

	Presente	Imperfecto	Pretérito	Futuro	Cond.	Perfecto
	quiero	quería	quise	querré	querría	he querido
	quieres	querías	quisiste	querrás	querrías	has querido
	quiere	quería	quiso	querrá	querría	ha querido
	queremos	queríamos	quisimos	querremos	querríamos	hemos querido
	queréis	queríais	quisisteis	querréis	querríais	habéis querido
	quieren	querían	quisieron	querrán	querrían	han querido

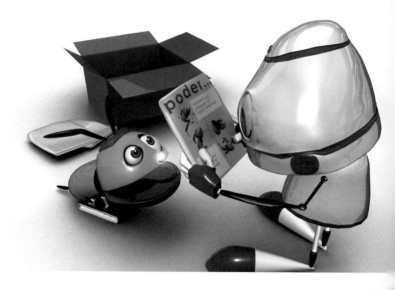

🔊)) learnverbs.com

Sub.	Presente	Imperfecto	Pretérito	Futuro	Cond.	Perfec
Yo	puedo	podía	pude	podré	podría	he pod
Tú	puedes	podías	pudiste	podrás	podrías	has poc
Él Ella Ud.	puede	podía	pudo	podrá	podría	ha pod
Nos.	podemos	podíamos	pudimos	podremos	podríamos	hemos p
Vos.	podéis	podíais	pudisteis	podréis	podríais	habéis p
Ellos Ellas Uds.	pueden	podían	pudieron	podrán	podrían	han po

learnverbs.com

	Presente	Imperfecto	Pretérito	Futuro	Cond.	Perfecto
	creo	creaba	creé	crearé	crearía	he creado
	creas	creabas	creaste	crearás	crearías	has creado
	crea	creaba	creó	creará	crearía	ha creado
	creamos	creábamos	creamos	crearemos	crearíamos	hemos creado
	creáis	creabais	creasteis	crearéis	crearíais	habéis creado
	crean	creaban	crearon	crearán	crearían	han creado

))) learnverbs.com

Sub.	Presente	Imperfecto	Pretérito	Futuro	Cond.	Perfec
Yo	pinto	pintaba	pinté	pintaré	pintaría	he pint
Tú	pintas	pintabas	pintaste	pintarás	pintarías	has pin
Él Ella Ud.	pinta	pintaba	pintó	pintará	pintaría	ha pint
Nos.	pintamos	pintábamos	pintamos	pintaremos	pintaríamos	heme pinta
Vos.	pintáis	pintabais	pintasteis	pintaréis	pintaríais	habé pinta
Ellos Ellas Uds.	pintan	pintaban	pintaron	pintarán	pintarían	han pir

learnverbs.com

Presente	Imperfecto	Pretérito	Futuro	Cond.	Perfecto
bailo	bailaba	bailé	bailaré	bailaría	he bailado
bailas	bailabas	bailaste	bailarás	bailarías	has bailado
baila	bailaba	bailó	bailará	bailaría	ha bailado
bailamos	bailábamos	bailamos	bailaremos	bailaríamos	hemos bailado
bailáis	bailabais	bailasteis	bailaréis	bailaríais	habéis bailado
bailan	bailaban	bailaron	bailarán	bailarían	han bailado

🔊 learnverbs.com

Sub.	Presente	Imperfecto	Pretérito	Futuro	Cond.	Perfe
Yo	leo	leía	leí	leeré	leería	he le
Tú	lees	leías	leíste	leerás	leerías	has l
Él Ella Ud.	lee	leía	leyó	leerá	leería	ha le
Nos.	leemos	leíamos	leímos	leeremos	leeríamos	hemos
Vos.	leéis	leíais	leísteis	leeréis	leeríais	habéis
Ellos Ellas Uds.	leen	leían	leyeron	leerán	leerían	han l

learnverbs.com

Presente	Imperfecto	Pretérito	Futuro	Cond.	Perfecto
dejo	dejaba	dejé	dejaré	dejaría	he dejado
dejas	dejabas	dejaste	dejarás	dejarías	has dejado
deja	dejaba	dejó	dejará	dejaría	ha dejado
dejamos	dejábamos	dejamos	dejaremos	dejaríamos	hemos dejado
dejáis	dejabais	dejasteis	dejaréis	dejaríais	habéis dejado
dejan	dejaban	dejaron	dejarán	dejarían	han dejado

🔊))) learnverbs.com

Sub.	Presente	Imperfecto	Pretérito	Futuro	Cond.	Perfe
Yo	encuentro	encontraba	encontré	encontraré	encontraría	he encont
Tú	encuentras	encontrabas	encontraste	encontrarás	encontrarías	ha encon
Él Ella Ud.	encuentra	encontraba	encontró	encontrará	encontraría	ha enco
Nos.	encontramos	encontrábamos	encontramos	encontraremos	encontraríamos	hen encon
Vos.	encontráis	encontrabais	encontrasteis	encontraréis	encontraríais	hab encon
Ellos Ellas Uds.	encuentran	encontraban	encontraron	encontrarán	encontrarían	ha encor

learnverbs.com

Presente	Imperfecto	Pretérito	Futuro	Cond.	Perfecto
crezco	crecía	crecí	creceré	crecería	he crecido
creces	crecías	creciste	crecerás	crecerías	has crecido
crece	crecía	creció	crecerá	crecería	ha crecido
crecemos	crecíamos	crecimos	creceremos	creceríamos	hemos crecido
crecéis	crecíais	crecisteis	creceréis	creceríais	habéis crecido
crecen	crecían	crecieron	crecerán	crecerían	han crecido

🔊))) learnverbs.com

Sub.	Presente	Imperfecto	Pretérito	Futuro	Cond.	Perfe
Yo	traigo	traía	traje	traeré	traería	he tra
Tú	traes	traías	trajiste	traerás	traerías	has tra
Él Ella Ud.	trae	traía	trajo	traerá	traería	ha tra
Nos.	traemos	traíamos	trajimos	traeremos	traeríamos	hemos
Vos.	traéis	traíais	trajisteis	traeréis	traeríais	habéis
Ellos Ellas Uds.	traen	traían	trajeron	traerán	traerían	han tr

learnverbs.com

Presente	Imperfecto	Pretérito	Futuro	Cond.	Perfecto
cocino	cocinaba	cociné	cocinaré	cocinaría	he cocinado
cocinas	cocinabas	cocinaste	cocinarás	cocinarías	has cocinado
cocina	cocinaba	cocinó	cocinará	cocinaría	ha cocinado
cocinamos	cocinábamos	cocinamos	cocinaremos	cocinaríamos	hemos cocinado
cocináis	cocinabais	cocinasteis	cocinaréis	cocinaríais	habéis cocinado
cocinan	cocinaban	cocinaron	cocinarán	cocinarían	han cocinado

🔊))) learnverbs.com

Sub.	Presente	Imperfecto	Pretérito	Futuro	Cond.	Perfe
me	gusta / gustan	gustaba / gustaban	gustó / gustaron	gustará / gustarán	gustaría / gustarían	ha gust han gus
te	gusta / gustan	gustaba / gustaban	gustó / gustaron	gustará / gustarán	gustaría / gustarían	ha gust han gus
le	gusta / gustan	gustaba / gustaban	gustó / gustaron	gustará / gustarán	gustaría / gustarían	ha gust han gus
nos	gusta / gustan	gustaba / gustaban	gustó / gustaron	gustará / gustarán	gustaría / gustarían	ha gust han gu
os	gusta / gustan	gustaba / gustaban	gustó / gustaron	gustará / gustarán	gustaría / gustarían	ha gust han gu
les	gusta / gustan	gustaba / gustaban	gustó / gustaron	gustará / gustarán	gustaría / gustarían	ha gust han gu

learnverbs.com

Presente	Imperfecto	Pretérito	Futuro	Cond.	Perfecto
abro	abría	abrí	abriré	abriría	he abierto
abres	abrías	abriste	abrirás	abrirías	has abierto
abre	abría	abrió	abrirá	abriría	ha abierto
abrimos	abríamos	abrimos	abriremos	abriríamos	hemos abierto
abrís	abríais	abristeis	abriréis	abriríais	habéis abierto
abren	abrían	abrieron	abrirán	abrirían	han abierto

learnverbs.com

Sub.	Presente	Imperfecto	Pretérito	Futuro	Cond.	Perfec
Yo	bebo	bebía	bebí	beberé	bebería	he beb
Tú	bebes	bebías	bebiste	beberás	beberías	has beb
Él Ella Ud.	bebe	bebía	bebió	beberá	bebería	ha beb
Nos.	bebemos	bebíamos	bebimos	beberemos	beberíamos	hemos b
Vos.	bebéis	bebíais	bebisteis	beberéis	beberíais	habéis b
Ellos Ellas Uds.	beben	bebían	bebieron	beberán	beberían	han be

Cantar

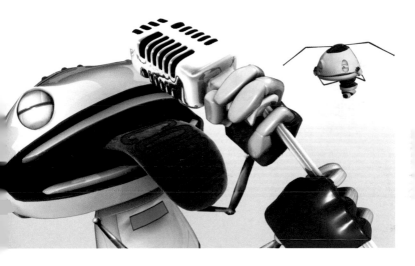

learnverbs.com

Presente	Imperfecto	Pretérito	Futuro	Cond.	Perfecto
canto	cantaba	canté	cantaré	cantaría	he cantado
cantas	cantabas	cantaste	cantarás	cantarías	has cantado
canta	cantaba	cantó	cantará	cantaría	ha cantado
cantamos	cantábamos	cantamos	cantaremos	cantaríamos	hemos cantado
cantáis	cantabais	cantasteis	cantaréis	cantaríais	habéis cantado
cantan	cantaban	cantaron	cantarán	cantarían	han cantado

🔊))) learnverbs.com

Sub.	Presente	Imperfecto	Pretérito	Futuro	Cond.	Perfe
Yo	duermo	dormía	dormí	dormiré	dormiría	he dor
Tú	duermes	dormías	dormiste	dormirás	dormirías	has do
Él Ella Ud.	duerme	dormía	durmió	dormirá	dormiría	ha dor
Nos.	dormimos	dormíamos	dormimos	dormiremos	dormiríamos	hem dorm
Vos.	dormís	dormíais	dormisteis	dormiréis	dormiríais	hab dorm
Ellos Ellas Uds.	duermen	dormían	durmieron	dormirán	dormirían	han do

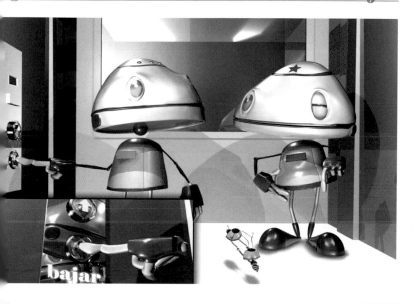

learnverbs.com

Presente	Imperfecto	Pretérito	Futuro	Cond.	Perfecto
bajo	bajaba	bajé	bajaré	bajaría	he bajado
bajas	bajabas	bajaste	bajarás	bajarías	has bajado
baja	bajaba	bajó	bajará	bajaría	ha bajado
bajamos	bajábamos	bajamos	bajaremos	bajaríamos	hemos bajado
bajáis	bajabais	bajasteis	bajaréis	bajaríais	habéis bajado
bajan	bajaban	bajaron	bajarán	bajarían	han bajado

Sentarse

andyGAR
Copyright© Tsunami

🔊))) learnverbs.com

Sub.	Presente	Imperfecto	Pretérito	Futuro	Cond.	Perfec
Yo	me siento	me sentaba	me senté	me sentaré	me sentaría	me he se
Tú	te sientas	te sentabas	te sentaste	te sentarás	te sentarías	te has se
Él Ella Ud.	se sienta	se sentaba	se sentó	se sentará	se sentaría	se ha se
Nos.	nos sentamos	nos sentábamos	nos sentamos	nos sentaremos	nos sentaríamos	nos he senta
Vos.	os sentáis	os sentabais	os sentasteis	os sentaréis	os sentaríais	os hab senta
Ellos Ellas Uds.	se sientan	se sentaban	se sentaron	se sentarán	se sentarían	se ha senta

andyGARNICA

learnverbs.com

Presente	Imperfecto	Pretérito	Futuro	Cond.	Perfecto
juego	jugaba	jugué	jugaré	jugaría	he jugado
juegas	jugabas	jugaste	jugarás	jugarías	has jugado
juega	jugaba	jugó	jugará	jugaría	ha jugado
jugamos	jugábamos	jugamos	jugaremos	jugaríamos	hemos jugado
jugáis	jugabais	jugasteis	jugaréis	jugaríais	habéis jugado
juegan	jugaban	jugaron	jugarán	jugarían	han jugado

🔊))) learnverbs.com

Sub.	Presente	Imperfecto	Pretérito	Futuro	Cond.	Perfe
Yo	pongo	ponía	puse	pondré	pondría	he pue
Tú	pones	ponías	pusiste	pondrás	pondrías	has pu
Él Ella Ud.	pone	ponía	puso	pondrá	pondría	ha pu
Nos.	ponemos	poníamos	pusimos	pondremos	pondríamos	hemos
Vos.	ponéis	poníais	pusisteis	pondréis	pondríais	habéis
Ellos Ellas Uds.	ponen	ponían	pusieron	pondrán	pondrían	han p

learnverbs.com

	Presente	Imperfecto	Pretérito	Futuro	Cond.	Perfecto
	pierdo	perdía	perdí	perderé	perdería	he perdido
	pierdes	perdías	perdiste	perderás	perderías	has perdido
	pierde	perdía	perdió	perderá	perdería	ha perdido
	perdemos	perdíamos	perdimos	perderemos	perderíamos	hemos perdido
	perdéis	perdíais	perdisteis	perderéis	perderíais	habéis perdido
	pierden	perdían	perdieron	perderán	perderían	han perdido

🔊))) learnverbs.com

Sub.	Presente	Imperfecto	Pretérito	Futuro	Cond.	Perfec
Yo	despierto	despertaba	desperté	despertaré	despertaría	he despe
Tú	despiertas	despertabas	despertaste	despertarás	despertarías	has desper
Él Ella Ud.	despierta	despertaba	despertó	despertará	despertaría	ha despe
Nos.	despertamos	despertábamos	despertamos	despertaremos	despertaríamos	hem desper
Vos.	despertáis	despertabais	despertasteis	despertaréis	despertaríais	habé desper
Ellos Ellas Uds.	despiertan	despertaban	despertaron	despertarán	despertarían	ha desper

learnverbs.com

Presente	Imperfecto	Pretérito	Futuro	Cond.	Perfecto
corro	corría	corrí	correré	correría	he corrido
corres	corrías	corriste	correrás	correrías	has corrido
corre	corría	corrió	correrá	correría	ha corrido
corremos	corríamos	corrimos	correremos	correríamos	hemos corrido
corréis	corríais	corristeis	correréis	correríais	habéis corrido
corren	corrían	corrieron	correrán	correrían	han corrido

🔊))) learnverbs.com

Sub.	Presente	Imperfecto	Pretérito	Futuro	Cond.	Perfec
Yo	caigo	caía	caí	caeré	caería	he caí
Tú	caes	caías	caíste	caerás	caerías	has ca
Él Ella Ud.	cae	caía	cayó	caerá	caería	ha cai
Nos.	caemos	caíamos	caímos	caeremos	caeríamos	hemos
Vos.	caéis	caíais	caísteis	caeréis	caeríais	habéis
Ellos Ellas Uds.	caen	caían	cayeron	caerán	caerían	han ca

Buscar

learnverbs.com

	Presente	Imperfecto	Pretérito	Futuro	Cond.	Perfecto
	busco	buscaba	busqué	buscaré	buscaría	he buscado
	buscas	buscabas	buscaste	buscarás	buscarías	has buscado
a	busca	buscaba	buscó	buscará	buscaría	ha buscado
s.	buscamos	buscábamos	buscamos	buscaremos	buscaríamos	hemos buscado
s.	buscáis	buscabais	buscasteis	buscaréis	buscaríais	habéis buscado
os as s.	buscan	buscaban	buscaron	buscarán	buscarían	han buscado

Salir

to go o

🔊))) learnverbs.com

Sub.	Presente	Imperfecto	Pretérito	Futuro	Cond.	Perfec
Yo	salgo	salía	salí	saldré	saldría	he sali
Tú	sales	salías	saliste	saldrás	saldrías	has sali
Él Ella Ud.	sale	salía	salió	saldrá	saldría	ha sali
Nos.	salimos	salíamos	salimos	saldremos	saldríamos	hemos s
Vos.	salís	salíais	salisteis	saldréis	saldríais	habéis s
Ellos Ellas Uds.	salen	salían	salieron	saldrán	saldrían	han sal

ducharse

learnverbs.com

	Presente	Imperfecto	Pretérito	Futuro	Cond.	Perfecto
	me ducho	me duchaba	me duché	me ducharé	me ducharía	me he duchado
	te duchas	te duchabas	te duchaste	te ducharás	te ducharías	te has duchado
	se ducha	se duchaba	se duchó	se duchará	se ducharía	se ha duchado
	nos duchamos	nos duchábamos	nos duchamos	nos ducharemos	nos ducharíamos	nos hemos duchado
	os ducháis	os duchabais	os duchasteis	os ducharéis	os ducharíais	os habéis duchado
	se duchan	se duchaban	se ducharon	se ducharán	se ducharían	se han duchado

Peinar

🔊 learnverbs.com

Sub.	Presente	Imperfecto	Pretérito	Futuro	Cond.	Perfec
Yo	me peino	me peinaba	me peiné	me peinaré	me peinaría	me he peinad
Tú	te peinas	te peinabas	te peinaste	te peinarás	te peinarías	te has pei
Él Ella Ud.	se peina	se peinaba	se peinó	se peinará	se peinaría	se ha pei
Nos.	nos peinamos	nos peinábamos	nos peinamos	nos peinaremos	nos peinaríamos	nos hem peinad
Vos.	os peináis	os peinabais	os peinasteis	os peinaréis	os peinaríais	os hab peinad
Ellos Ellas Uds.	se peinan	se peinaban	se peinaron	se peinarán	se peinarían	se ha peinad

learnverbs.com

	Presente	Imperfecto	Pretérito	Futuro	Cond.	Perfecto
	me visto	me vestía	me vestí	me vestiré	me vestiría	me he vestido
	te vistes	te vestías	te vestiste	te vestirás	te vestirías	te has vestido
a	se viste	se vestía	se vistió	se vestirá	se vestiría	se ha vestido
s.	nos vestimos	nos vestíamos	nos vestimos	nos vestiremos	nos vestiríamos	nos hemos vestido
s.	os vestís	os vestíais	os vestisteis	os vestiréis	os vestiríais	os habéis vestido
os as s.	se visten	se vestían	se vistieron	se vestirán	se vestirían	se han vestido

🔊))) learnverbs.com

Sub.	Presente	Imperfecto	Pretérito	Futuro	Cond.	Perfec
Yo	llego	llegaba	llegué	llegaré	llegaría	he llega
Tú	llegas	llegabas	llegaste	llegarás	llegarías	has lleg
Él Ella Ud.	llega	llegaba	llegó	llegará	llegaría	ha lleg
Nos.	llegamos	llegábamos	llegamos	llegaremos	llegaríamos	hemo llega
Vos.	llegáis	llegabais	llegasteis	llegaréis	llegaríais	habé llega
Ellos Ellas Uds.	llegan	llegaban	llegaron	llegarán	llegarían	han lleg

learnverbs.com

	Presente	Imperfecto	Pretérito	Futuro	Cond.	Perfecto
	veo	veía	vi	veré	vería	he visto
	ves	veías	viste	verás	verías	has visto
a	ve	veía	vio	verá	vería	ha visto
s.	vemos	veíamos	vimos	veremos	veríamos	hemos visto
s.	veis	veíais	visteis	veréis	veríais	habéis visto
os as s.	ven	veían	vieron	verán	verían	han visto

(((• learnverbs.com

Sub.	Presente	Imperfecto	Pretérito	Futuro	Cond.	Perfect
Yo	grito	gritaba	grité	gritaré	gritaría	he grita
Tú	gritas	gritabas	gritaste	gritarás	gritarías	has grita
Él Ella Ud.	grita	gritaba	gritó	gritará	gritaría	ha grita
Nos.	gritamos	gritábamos	gritamos	gritaremos	gritaríamos	hemo gritad
Vos.	gritáis	gritabais	gritasteis	gritaréis	gritaríais	habéis gr
Ellos Ellas Uds.	gritan	gritaban	gritaron	gritarán	gritarían	han gri

learnverbs.com

Presente	Imperfecto	Pretérito	Futuro	Cond.	Perfecto
oigo	oía	oí	oiré	oiría	he oído
oyes	oías	oíste	oirás	oirías	has oído
oye	oía	oyó	oirá	oiría	ha oído
oímos	oíamos	oímos	oiremos	oiríamos	hemos oído
oís	oíais	oísteis	oiréis	oiríais	habéis oído
oyen	oían	oyeron	oirán	oirían	han oído

🔊)) learnverbs.com

Sub.	Presente	Imperfecto	Pretérito	Futuro	Cond.	Perfe
Yo	peleo	peleaba	peleé	pelearé	pelearía	he pele
Tú	peleas	peleabas	peleaste	pelearás	pelearías	has pel
Él Ella Ud.	pelea	peleaba	peleó	peleará	pelearía	ha pele
Nos.	peleamos	peleábamos	peleamos	pelearemos	pelearíamos	hem pelea
Vos.	peleáis	peleabais	peleasteis	pelearéis	pelearíais	habé pelea
Ellos Ellas Uds.	pelean	peleaban	pelearon	pelearán	pelearían	han pe

andyGARNICA
Copyright© Tsunami Systems

Presente	Imperfecto	Pretérito	Futuro	Cond.	Perfecto
separo	separaba	separé	separaré	separaría	he separado
separas	separabas	separaste	separarás	separarías	has separado
separa	separaba	separó	separará	separaría	ha separado
separamos	separábamos	separamos	separaremos	separaríamos	hemos separado
separáis	separabais	separasteis	separaréis	separaríais	habéis separado
separan	separaban	separaron	separarán	separarían	han separado

andyGA
Copyright© Tsunami

🔊))) learnverbs.com

Sub.	Presente	Imperfecto	Pretérito	Futuro	Cond.	Perfe
Yo	cierro	cerraba	cerré	cerraré	cerraría	he cerr
Tú	cierras	cerrabas	cerraste	cerrarás	cerrarías	has cer
Él Ella Ud.	cierra	cerraba	cerró	cerrará	cerraría	ha cer
Nos.	cerramos	cerrábamos	cerramos	cerraremos	cerraríamos	hem cerra
Vos.	cerráis	cerrabais	cerrasteis	cerraréis	cerraríais	hab cerra
Ellos Ellas Uds.	cierran	cerraban	cerraron	cerrarán	cerrarían	han ce

learnverbs.com

Presente	Imperfecto	Pretérito	Futuro	Cond.	Perfecto
olvido	olvidaba	olvidé	olvidaré	olvidaría	he olvidado
olvidas	olvidabas	olvidaste	olvidarás	olvidarías	has olvidado
olvida	olvidaba	olvidó	olvidará	olvidaría	ha olvidado
olvidamos	olvidábamos	olvidamos	olvidaremos	olvidaríamos	hemos olvidado
olvidáis	olvidabais	olvidasteis	olvidaréis	olvidaríais	habéis olvidado
olvidan	olvidaban	olvidaron	olvidarán	olvidarían	han olvidado

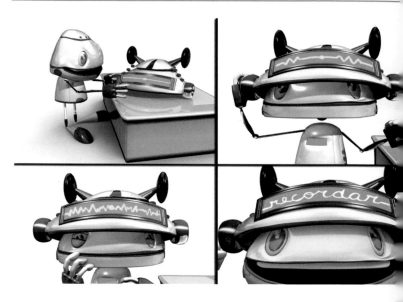

🔊))) learnverbs.com

Sub.	Presente	Imperfecto	Pretérito	Futuro	Cond.	Perfe
Yo	recuerdo	recordaba	recordé	recordaré	recordaría	he reco
Tú	recuerdas	recordabas	recordaste	recordarás	recordarías	has reco
Él Ella Ud.	recuerda	recordaba	recordó	recordará	recordaría	ha reco
Nos.	recordamos	recordábamos	recordamos	recordaremos	recordaríamos	hen recor
Vos.	recordáis	recordabais	recordasteis	recordaréis	recordaríais	hab recor
Ellos Ellas Uds.	recuerdan	recordaban	recordaron	recordarán	recordarían	han rec

learnverbs.com

Presente	Imperfecto	Pretérito	Futuro	Cond.	Perfecto
llueve	llovía	llovió	lloverá	llovería	ha llovido

🔊))) learnverbs.com

Sub.	Presente	Imperfecto	Pretérito	Futuro	Cond.	Perfe
Yo	hablo	hablaba	hablé	hablaré	hablaría	he hab
Tú	hablas	hablabas	hablaste	hablarás	hablarías	has ha
Él Ella Ud.	habla	hablaba	habló	hablará	hablaría	ha hal
Nos.	hablamos	hablábamos	hablamos	hablaremos	hablaríamos	hen habl
Vos.	habláis	hablabais	hablasteis	hablaréis	hablaríais	hab habl
Ellos Ellas Uds.	hablan	hablaban	hablaron	hablarán	hablarían	han ha

andyGARNICA

learnverbs.com

Presente	Imperfecto	Pretérito	Futuro	Cond.	Perfecto
tropiezo	tropezaba	tropecé	tropezaré	tropezaría	he tropezado
tropiezas	tropezabas	tropezaste	tropezarás	tropezarías	has tropezado
tropieza	tropezaba	tropezó	tropezará	tropezaría	ha tropezado
tropezamos	tropezábamos	tropezamos	tropezaremos	tropezaríamos	hemos tropezado
tropezáis	tropezabais	tropezasteis	tropezaréis	tropezaríais	habéis tropezado
tropiezan	tropezaban	tropezaron	tropezarán	tropezarían	han tropezado

🔊))) learnverbs.com

Sub.	Presente	Imperfecto	Pretérito	Futuro	Cond.	Perfe
Yo	pateo	pateaba	pateé	patearé	patearía	he pate
Tú	pateas	pateabas	pateaste	patearás	patearías	has pat
Él Ella Ud.	patea	pateaba	pateó	pateará	patearía	ha pate
Nos.	pateamos	pateábamos	pateamos	patearemos	patearíamos	hem pate.
Vos.	pateáis	pateabais	pateasteis	patearéis	pateariais	hab pate.
Ellos Ellas Uds.	patean	pateaban	patearon	patearán	patearían	han pa

learnverbs.com

Presente	Imperfecto	Pretérito	Futuro	Cond.	Perfecto
pienso	pensaba	pensé	pensaré	pensaría	he pensado
piensas	pensabas	pensaste	pensarás	pensarías	has pensado
piensa	pensaba	pensó	pensará	pensaría	ha pensado
pensamos	pensábamos	pensamos	pensaremos	pensaríamos	hemos pensado
pensáis	pensabais	pensasteis	pensaréis	pensaríais	habéis pensado
piensan	pensaban	pensaron	pensarán	pensarían	han pensado

🔊))) learnverbs.com

Sub.	Presente	Imperfecto	Pretérito	Futuro	Cond.	Perfe
Yo	soy	era	fui	seré	sería	he s
Tú	eres	eras	fuiste	serás	serías	has s
Él Ella Ud.	es	era	fue	será	sería	ha s
Nos.	somos	éramos	fuimos	seremos	seríamos	hemo
Vos.	sois	erais	fuisteis	seréis	seríais	habéi
Ellos Ellas Uds.	son	eran	fueron	serán	serían	han

learnverbs.com

Presente	Imperfecto	Pretérito	Futuro	Cond.	Perfecto
decido	decidía	decidí	decidiré	decidiría	he decidido
decides	decidías	decidiste	decidirás	decidirías	has decidido
decide	decidía	decidió	decidirá	decidiría	ha decidido
decidimos	decidíamos	decidimos	decidiremos	decidiríamos	hemos decidido
decidís	decidíais	decidisteis	decidiréis	decidiríais	habéis decidido
deciden	decidían	decidieron	decidirán	decidirían	han decidido

🔊))) learnverbs.com

Sub.	Presente	Imperfecto	Pretérito	Futuro	Cond.	Perfe
Yo	sé	sabía	supe	sabré	sabría	he sab
Tú	sabes	sabías	supiste	sabrás	sabrías	has sa
Él Ella Ud.	sabe	sabía	supo	sabrá	sabría	ha sa
Nos.	sabemos	sabíamos	supimos	sabremos	sabríamos	hemos s
Vos.	sabéis	sabíais	supisteis	sabréis	sabríais	habéis s
Ellos Ellas Uds.	saben	sabían	supieron	sabrán	sabrían	han sa

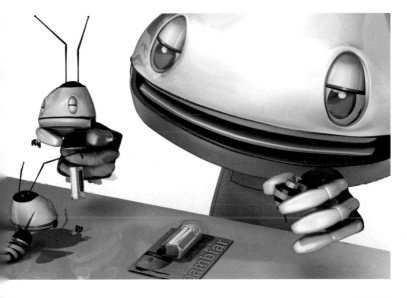

earnverbs.com

Presente	Imperfecto	Pretérito	Futuro	Cond.	Perfecto
cambio	cambiaba	cambié	cambiaré	cambiaría	he cambiado
cambias	cambiabas	cambiaste	cambiarás	cambiarías	has cambiado
cambia	cambiaba	cambió	cambiará	cambiaría	ha cambiado
cambiamos	cambiábamos	cambiamos	cambiaremos	cambiaríamos	hemos cambiado
cambiáis	cambiabais	cambiasteis	cambiaréis	cambiaríais	habéis cambiado
cambian	cambiaban	cambiaron	cambiarán	cambiarían	han cambiado

🔊))) learnverbs.com

Sub.	Presente	Imperfecto	Pretérito	Futuro	Cond.	Perf
Yo	aprendo	aprendía	aprendí	aprenderé	aprendería	he apr
Tú	aprendes	aprendías	aprendiste	aprenderás	aprenderías	has apr
Él Ella Ud.	aprende	aprendía	aprendió	aprenderá	aprendería	ha apr
Nos.	aprendemos	aprendíamos	aprendimos	aprenderemos	aprenderíamos	her apre
Vos.	aprendéis	aprendíais	aprendisteis	aprenderéis	aprenderíais	hab apre
Ellos Ellas Uds.	aprenden	aprendían	aprendieron	aprenderán	aprenderían	han ap

learnverbs.com

Presente	Imperfecto	Pretérito	Futuro	Cond.	Perfecto
estudio	estudiaba	estudié	estudiaré	estudiaría	he estudiado
estudias	estudiabas	estudiaste	estudiarás	estudiarías	has estudiado
estudia	estudiaba	estudió	estudiará	estudiaría	ha estudiado
estudiamos	estudiábamos	estudiamos	estudiaremos	estudiaríamos	hemos estudiado
estudiáis	estudiabais	estudiasteis	estudiaréis	estudiaríais	habéis estudiado
estudian	estudiaban	estudiaron	estudiarán	estudiarían	han estudiado

◀))) learnverbs.com

Sub.	Presente	Imperfecto	Pretérito	Futuro	Cond.	Perf
Yo	sueño	soñaba	soñé	soñaré	soñaría	he so
Tú	sueñas	soñabas	soñaste	soñarás	soñarías	has sc
Él Ella Ud.	sueña	soñaba	soñó	soñará	soñaría	ha so
Nos.	soñamos	soñábamos	soñamos	soñaremos	soñaríamos	hemos
Vos.	soñáis	soñabais	soñasteis	soñaréis	soñaríais	habéis
Ellos Ellas Uds.	sueñan	soñaban	soñaron	soñarán	soñarían	han s

learnverbs.com

Presente	Imperfecto	Pretérito	Futuro	Cond.	Perfecto
empiezo	empezaba	empecé	empezaré	empezaría	he empezado
empiezas	empezabas	empezaste	empezarás	empezarías	has empezado
empieza	empezaba	empezó	empezará	empezaría	ha empezado
empezamos	empezábamos	empezamos	empezaremos	empezaríamos	hemos empezado
empezáis	empezabais	empezasteis	empezaréis	empezaríais	habéis empezado
empiezan	empezaban	empezaron	empezarán	empezarían	han empezado

🔊))) learnverbs.com

Sub.	Presente	Imperfecto	Pretérito	Futuro	Cond.	Perfe
Yo	acabo	acababa	acabé	acabaré	acabaría	he aca
Tú	acabas	acababas	acabaste	acabarás	acabarías	has aca
Él Ella Ud.	acaba	acababa	acabó	acabará	acabaría	ha aca
Nos.	acabamos	acabábamos	acabamos	acabaremos	acabaríamos	hen acab
Vos.	acabáis	acababais	acabasteis	acabaréis	acabaríais	hab acab
Ellos Ellas Uds.	acaban	acababan	acabaron	acabarán	acabarían	han ac

Presente	Imperfecto	Pretérito	Futuro	Cond.	Perfecto
gano	ganaba	gané	ganaré	ganaría	he ganado
ganas	ganabas	ganaste	ganarás	ganarías	has ganado
gana	ganaba	ganó	ganará	ganaría	ha ganado
ganamos	ganábamos	ganamos	ganaremos	ganaríamos	hemos ganado
ganáis	ganabais	ganasteis	ganaréis	ganaríais	habéis ganado
ganan	ganaban	ganaron	ganarán	ganarían	han ganado

))) learnverbs.com

Sub.	Presente	Imperfecto	Pretérito	Futuro	Cond.	Perfec
Yo	miento	mentía	mentí	mentiré	mentiría	he men
Tú	mientes	mentías	mentiste	mentirás	mentirías	has mer
Él Ella Ud.	miente	mentía	mintió	mentirá	mentiría	ha men
Nos.	mentimos	mentíamos	mentimos	mentiremos	mentiríamos	hem menti
Vos.	mentís	mentíais	mentisteis	mentiréis	mentiríais	habé ment
Ellos Ellas Uds.	mienten	mentían	mintieron	mentirán	mentirían	han me

) learnverbs.com

	Presente	Imperfecto	Pretérito	Futuro	Cond.	Perfecto
	evalúo	evaluaba	evalué	evaluaré	evaluaría	he evaluado
	evalúas	evaluabas	evaluaste	evaluarás	evaluarías	has evaluado
a	evalúa	evaluaba	evaluó	evaluará	evaluaría	ha evaluado
s.	evaluamos	evaluábamos	evaluamos	evaluaremos	evaluaríamos	hemos evaluado
s.	evaluáis	evaluabais	evaluasteis	evaluaréis	evaluaríais	habéis evaluado
os as s.	evalúan	evaluaban	evaluaron	evaluarán	evaluarían	han evaluado

🔊))) learnverbs.com

Sub.	Presente	Imperfecto	Pretérito	Futuro	Cond.	Perfec
Yo	conduzco	conducía	conduje	conduciré	conduciría	he condu
Tú	conduces	conducías	condujiste	conducirás	conducirías	has conduc
Él Ella Ud.	conduce	conducía	condujo	conducirá	conduciría	ha condu
Nos.	conducimos	conducíamos	condujimos	conduciremos	conduciríamos	hemo conduc
Vos.	conducís	conducíais	condujisteis	conduciréis	conduciríais	habé conduc
Ellos Ellas Uds.	conducen	conducían	condujeron	conducirán	conducirían	han conduc

)) learnverbs.com

b.	Presente	Imperfecto	Pretérito	Futuro	Cond.	Perfecto
	cuento	contaba	conté	contaré	contaría	he contado
	cuentas	contabas	contaste	contarás	contarías	has contado
a	cuenta	contaba	contó	contará	contaría	ha contado
s.	contamos	contábamos	contamos	contaremos	contaríamos	hemos contado
s.	contáis	contabais	contasteis	contaréis	contaríais	habéis contado
os as s.	cuentan	contaban	contaron	contarán	contarían	han contado

))) learnverbs.com

Sub.	Presente	Imperfecto	Pretérito	Futuro	Cond.	Perfect
Yo	ordeno	ordenaba	ordené	ordenaré	ordenaría	he ordena
Tú	ordenas	ordenabas	ordenaste	ordenarás	ordenarías	has orden
Él Ella Ud.	ordena	ordenaba	ordenó	ordenará	ordenaría	ha ordena
Nos.	ordenamos	ordenábamos	ordenamos	ordenaremos	ordenaríamos	hemos ordena
Vos.	ordenáis	ordenabais	ordenasteis	ordenaréis	ordenaríais	habéis ordena
Ellos Ellas Uds.	ordenan	ordenaban	ordenaron	ordenarán	ordenarían	han order

)) learnverbs.com

b.	Presente	Imperfecto	Pretérito	Futuro	Cond.	Perfecto
	construyo	construía	construí	construiré	construiría	he construido
i	construyes	construías	construiste	construirás	construirías	has construido
la l.	construye	construía	construyó	construirá	construiría	ha construido
s.	construimos	construíamos	construimos	construiremos	construiríamos	hemos construido
s.	construís	construíais	construisteis	construiréis	construiríais	habéis construido
los las s.	construyen	construían	construyeron	construirán	construirían	han construido

((()) learnverbs.com

Sub.	Presente	Imperfecto	Pretérito	Futuro	Cond.	Perfect
Yo	limpio	limpiaba	limpié	limpiaré	limpiaría	he limpia
Tú	limpias	limpiabas	limpiaste	limpiarás	limpiarías	has limpi
Él Ella Ud.	limpia	limpiaba	limpió	limpiará	limpiaría	ha limpia
Nos.	limpiamos	limpiábamos	limpiamos	limpiaremos	limpiaríamos	hemos limpiac
Vos.	limpiáis	limpiabais	limpiasteis	limpiaréis	limpiaríais	habéis limpia
Ellos Ellas Uds.	limpian	limpiaban	limpiaron	limpiarán	limpiarían	han limp

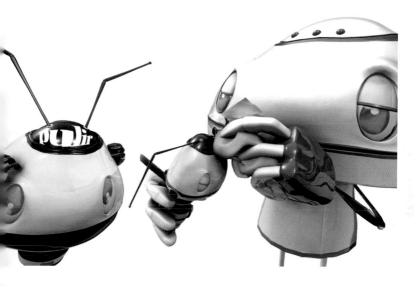

learnverbs.com

	Presente	Imperfecto	Pretérito	Futuro	Cond.	Perfecto
	pulo	pulía	pulí	puliré	puliría	he pulido
	pules	pulías	puliste	pulirás	pulirías	has pulido
	pule	pulía	pulió	pulirá	puliría	ha pulido
	pulimos	pulíamos	pulimos	puliremos	puliríamos	hemos pulido
	pulís	pulíais	pulisteis	puliréis	puliríais	habéis pulido
	pulen	pulían	pulieron	pulirán	pulirían	han pulido

🔊 learnverbs.com

Sub.	Presente	Imperfecto	Pretérito	Futuro	Cond.	Perfe
Yo	escribo	escribía	escribí	escribiré	escribiría	he esc
Tú	escribes	escribías	escribiste	escribirás	escribirías	has esc
Él Ella Ud.	escribe	escribía	escribió	escribirá	escribiría	ha esc
Nos.	escribimos	escribíamos	escribimos	escribiremos	escribiríamos	hemos c
Vos.	escribís	escribíais	escribisteis	escribiréis	escribiríais	habéis c
Ellos Ellas Uds.	escriben	escribían	escribieron	escribirán	escribirían	han es

learnverbs.com

	Presente	Imperfecto	Pretérito	Futuro	Cond.	Perfecto
	recibo	recibía	recibí	recibiré	recibiría	he recibido
	recibes	recibías	recibiste	recibirás	recibirías	has recibido
	recibe	recibía	recibió	recibirá	recibiría	ha recibido
	recibimos	recibíamos	recibimos	recibiremos	recibiríamos	hemos recibido
	recibís	recibíais	recibisteis	recibiréis	recibiríais	habéis recibido
	reciben	recibían	recibieron	recibirán	recibirían	han recibido

🔊))) learnverbs.com

Sub.	Presente	Imperfecto	Pretérito	Futuro	Cond.	Perfec
Yo	doy	daba	di	daré	daría	he da
Tú	das	dabas	diste	darás	darías	has da
Él Ella Ud.	da	daba	dio	dará	daría	ha da
Nos.	damos	dábamos	dimos	daremos	daríamos	hemos
Vos.	dais	dabais	disteis	daréis	daríais	habéis
Ellos Ellas Uds.	dan	daban	dieron	darán	darían	han d.

learnverbs.com

	Presente	Imperfecto	Pretérito	Futuro	Cond.	Perfecto
	muestro	mostraba	mostré	mostraré	mostraría	he mostrado
	muestras	mostrabas	mostraste	mostrarás	mostrarías	has mostrado
	muestra	mostraba	mostró	mostrará	mostraría	ha mostrado
	mostramos	mostrábamos	mostramos	mostraremos	mostraríamos	hemos mostrado
	mostráis	mostrabais	mostrasteis	mostraréis	mostraríais	habéis mostrado
	muestran	mostraban	mostraron	mostrarán	mostrarían	han mostrado

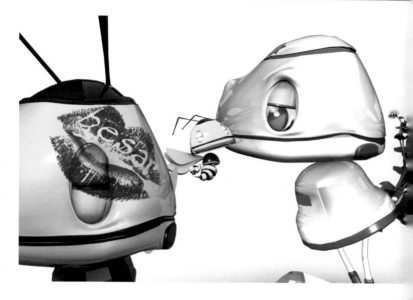

🔊))) learnverbs.com

Sub.	Presente	Imperfecto	Pretérito	Futuro	Cond.	Perfec
Yo	beso	besaba	besé	besaré	besaría	he besa
Tú	besas	besabas	besaste	besarás	besarías	has besa
Él Ella Ud.	besa	besaba	besó	besará	besaría	ha besa
Nos.	besamos	besábamos	besamos	besaremos	besaríamos	hemos be
Vos.	besáis	besabais	besasteis	besaréis	besaríais	habéis be
Ellos Ellas Uds.	besan	besaban	besaron	besarán	besarían	han bes

andyGARNICA

learnverbs.com

	Presente	Imperfecto	Pretérito	Futuro	Cond.	Perfecto
	compro	compraba	compré	compraré	compraría	he comprado
	compras	comprabas	compraste	comprarás	comprarías	has comprado
a	compra	compraba	compró	comprará	compraría	ha comprado
s.	compramos	comprábamos	compramos	compraremos	compraríamos	hemos comprado
s.	compráis	comprabais	comprasteis	compraréis	compraríais	habéis comprado
os as s.	compran	compraban	compraron	comprarán	comprarían	han comprado

🔊 learnverbs.com

Sub.	Presente	Imperfecto	Pretérito	Futuro	Cond.	Perfec
Yo	pago	pagaba	pagué	pagaré	pagaría	he paga
Tú	pagas	pagabas	pagaste	pagarás	pagarías	has pag
Él Ella Ud.	paga	pagaba	pagó	pagará	pagaría	ha paga
Nos.	pagamos	pagábamos	pagamos	pagaremos	pagaríamos	hemo paga
Vos.	pagáis	pagabais	pagasteis	pagaréis	pagaríais	habéis pa
Ellos Ellas Uds.	pagan	pagaban	pagaron	pagarán	pagarían	han pag

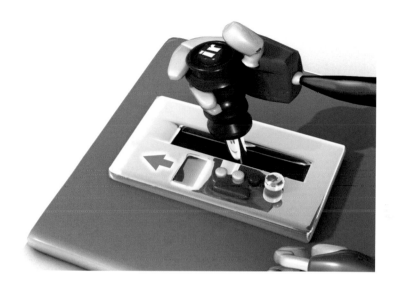

learnverbs.com

Presente	Imperfecto	Pretérito	Futuro	Cond.	Perfecto
voy	iba	fui	iré	iría	he ido
vas	ibas	fuiste	irás	irías	has ido
va	iba	fue	irá	iría	ha ido
vamos	íbamos	fuimos	iremos	iríamos	hemos ido
vais	ibais	fuisteis	iréis	iríais	habéis ido
van	iban	fueron	irán	irían	han ido

🔊))) learnverbs.com

Sub.	Presente	Imperfecto	Pretérito	Futuro	Cond.	Perfe
Yo	me caso	me casaba	me casé	me casaré	me casaría	me he c
Tú	te casas	te casabas	te casaste	te casarás	te casarías	te has
Él Ella Ud.	se casa	se casaba	se casó	se casará	se casaría	se ha c
Nos.	nos casamos	nos casábamos	nos casamos	nos casaremos	nos casaríamos	nos h casa
Vos.	os casáis	os casabais	os casasteis	os casaréis	os casaríais	os ha cas
Ellos Ellas Uds.	se casan	se casaban	se casaron	se casarán	se casarían	se han

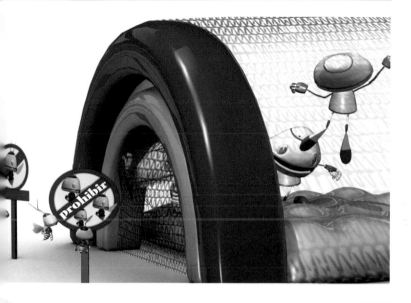

earnverbs.com

Presente	Imperfecto	Pretérito	Futuro	Cond.	Perfecto
prohibo	prohibía	prohibí	prohibiré	prohibiría	he prohibido
prohibes	prohibías	prohibiste	prohibirás	prohibirías	has prohibido
prohibe	prohibía	prohibió	prohibirá	prohibiría	ha prohibido
prohibimos	prohibíamos	prohibimos	prohibiremos	prohibiríamos	hemos prohibido
prohibís	prohibíais	prohibisteis	prohibiréis	prohibiríais	habéis prohibido
prohiben	prohibían	prohibieron	prohibirán	prohibirían	han prohibido

🔊))) learnverbs.com

Sub.	Presente	Imperfecto	Pretérito	Futuro	Cond.	Perfe
Yo	nado	nadaba	nadé	nadaré	nadaría	he na
Tú	nadas	nadabas	nadaste	nadarás	nadarías	has na
Él Ella Ud.	nada	nadaba	nadó	nadará	nadaría	ha na
Nos.	nadamos	nadábamos	nadamos	nadaremos	nadaríamos	her nad
Vos.	nadáis	nadabais	nadasteis	nadaréis	nadaríais	habéis
Ellos Ellas Uds.	nadan	nadaban	nadaron	nadarán	nadarían	han n

Presente	Imperfecto	Pretérito	Futuro	Cond.	Perfecto
amo	amaba	amé	amaré	amaría	he amado
amas	amabas	amaste	amarás	amarías	has amado
ama	amaba	amó	amará	amaría	ha amado
amamos	amábamos	amamos	amaremos	amaríamos	hemos amado
amáis	amabais	amasteis	amaréis	amaríais	habéis amado
aman	amaban	amaron	amarán	amarían	han amado

🔊))) learnverbs.com

Sub.	Presente	Imperfecto	Pretérito	Futuro	Cond.	Perfe
Yo	salto	saltaba	salté	saltaré	saltaría	he sal
Tú	saltas	saltabas	saltaste	saltarás	saltarías	has sa
Él Ella Ud.	salta	saltaba	saltó	saltará	saltaría	ha sa
Nos.	saltamos	saltábamos	saltamos	saltaremos	saltaríamos	hemos
Vos.	saltáis	saltabais	saltasteis	saltaréis	saltaríais	habéis
Ellos Ellas Uds.	saltan	saltaban	saltaron	saltarán	saltarían	han sa

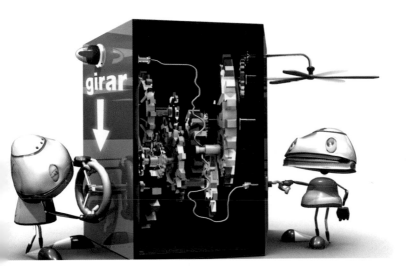

learnverbs.com

Presente	Imperfecto	Pretérito	Futuro	Cond.	Perfecto
giro	giraba	giré	giraré	giraría	he girado
giras	girabas	giraste	girarás	girarías	has girado
gira	giraba	giró	girará	giraría	ha girado
giramos	girábamos	giramos	giraremos	giraríamos	hemos girado
giráis	girabais	girasteis	giraréis	giraríais	habéis girado
giran	giraban	giraron	girarán	girarían	han girado

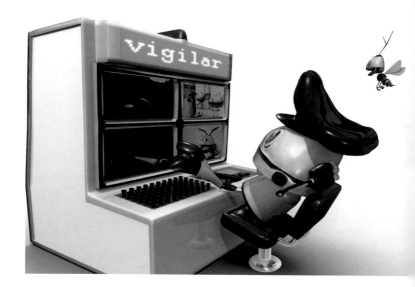

🔊))) learnverbs.com

Sub.	Presente	Imperfecto	Pretérito	Futuro	Cond.	Perfe
Yo	vigilo	vigilaba	vigilé	vigilaré	vigilaría	he vig
Tú	vigilas	vigilabas	vigilaste	vigilarás	vigilarías	has vig
Él Ella Ud.	vigila	vigilaba	vigiló	vigilará	vigilaría	ha vig
Nos.	vigilamos	vigilábamos	vigilamos	vigilaremos	vigilaríamos	hem vigil.
Vos.	vigiláis	vigilabais	vigilasteis	vigilaréis	vigilaríais	hab vigil
Ellos Ellas Uds.	vigilan	vigilaban	vigilaron	vigilarán	vigilarían	han vig

andyGARNICA

learnverbs.com

Presente	Imperfecto	Pretérito	Futuro	Cond.	Perfecto
vuelvo	volvía	volví	volveré	volvería	he vuelto
vuelves	volvías	volviste	volverás	volverías	has vuelto
vuelve	volvía	volvió	volverá	volvería	ha vuelto
volvemos	volvíamos	volvimos	volveremos	volveríamos	hemos vuelto
volvéis	volvíais	volvisteis	volveréis	volveríais	habéis vuelto
vuelven	volvían	volvieron	volverán	volverían	han vuelto

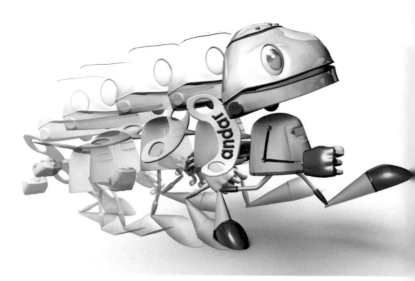

🔊))) learnverbs.com

Sub.	Presente	Imperfecto	Pretérito	Futuro	Cond.	Perfec
Yo	ando	andaba	anduve	andaré	andaría	he and.
Tú	andas	andabas	anduviste	andarás	andarías	has and
Él Ella Ud.	anda	andaba	anduvo	andará	andaría	ha and
Nos.	andamos	andábamos	anduvimos	andaremos	andaríamos	hem. anda.
Vos.	andáis	andabais	anduvisteis	andaréis	andaríais	habéis a
Ellos Ellas Uds.	andan	andaban	anduvieron	andarán	andarían	han an.

learnverbs.com

	Presente	Imperfecto	Pretérito	Futuro	Cond.	Perfecto
	pido	pedía	pedí	pediré	pediría	he pedido
	pides	pedías	pediste	pedirás	pedirías	has pedido
	pide	pedía	pidió	pedirá	pediría	ha pedido
	pedimos	pedíamos	pedimos	pediremos	pediríamos	hemos pedido
	pedís	pedíais	pedisteis	pediréis	pediríais	habéis pedido
	piden	pedían	pidieron	pedirán	pedirían	han pedido

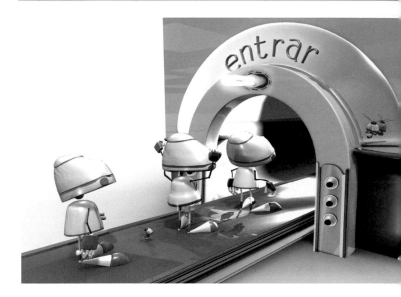

🔊)) learnverbs.com

Sub.	Presente	Imperfecto	Pretérito	Futuro	Cond.	Perfe
Yo	entro	entraba	entré	entraré	entraría	he ent
Tú	entras	entrabas	entraste	entrarás	entrarías	has en
Él Ella Ud.	entra	entraba	entró	entrará	entraría	ha ent
Nos.	entramos	entrábamos	entramos	entraremos	entraríamos	hem entra
Vos.	entráis	entrabais	entrasteis	entraréis	entraríais	habe entra
Ellos Ellas Uds.	entran	entraban	entraron	entrarán	entrarían	han en

learnverbs.com

	Presente	Imperfecto	Pretérito	Futuro	Cond.	Perfecto
	llamo	llamaba	llamé	llamaré	llamaría	he llamado
	llamas	llamabas	llamaste	llamarás	llamarías	has llamado
	llama	llamaba	llamó	llamará	llamaría	ha llamado
	llamamos	llamábamos	llamamos	llamaremos	llamaríamos	hemos llamado
	llamáis	llamabais	llamasteis	llamaréis	llamaríais	habéis llamado
	llaman	llamaban	llamaron	llamarán	llamarían	han llamado

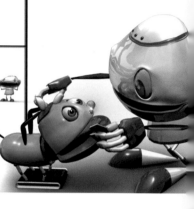

🔊))) learnverbs.com

Sub.	Presente	Imperfecto	Pretérito	Futuro	Cond.	Perfec
Yo	vengo	venía	vine	vendré	vendría	he veni
Tú	vienes	venías	viniste	vendrás	vendrías	has ven
Él Ella Ud.	viene	venía	vino	vendrá	vendría	ha ven
Nos.	venimos	veníamos	vinimos	vendremos	vendríamos	hemos v
Vos.	venís	veníais	vinisteis	vendréis	vendríais	habéis v
Ellos Ellas Uds.	vienen	venían	vinieron	vendrán	vendrían	han ve

	Presente	Imperfecto	Pretérito	Futuro	Cond.	Perfecto
	sigo	seguía	seguí	seguiré	seguiría	he seguido
	sigues	seguías	seguiste	seguirás	seguirías	has seguido
	sigue	seguía	siguió	seguirá	seguiría	ha seguido
	seguimos	seguíamos	seguimos	seguiremos	seguiríamos	hemos seguido
	seguís	seguíais	seguisteis	seguiréis	seguiríais	habéis seguido
	siguen	seguían	siguieron	seguirán	seguirían	han seguido

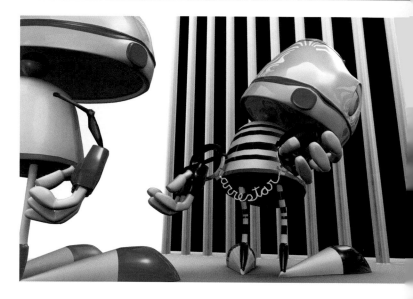

◀))) learnverbs.com

Sub.	Presente	Imperfecto	Pretérito	Futuro	Cond.	Perfec
Yo	arresto	arrestaba	arresté	arrestaré	arrestaría	he arres
Tú	arrestas	arrestabas	arrestaste	arrestarás	arrestarías	has arres
Él Ella Ud.	arresta	arrestaba	arrestó	arrestará	arrestaría	ha arres
Nos.	arrestamos	arrestábamos	arrestamos	arrestaremos	arrestaríamos	hemo arresta
Vos.	arrestáis	arrestabais	arrestasteis	arrestaréis	arrestaríais	habé arresta
Ellos Ellas Uds.	arrestan	arrestaban	arrestaron	arrestarán	arrestarían	han arres

Esperar

learnverbs.com

Presente	Imperfecto	Pretérito	Futuro	Cond.	Perfecto
espero	esperaba	esperé	esperaré	esperaría	he esperado
esperas	esperabas	esperaste	esperarás	esperarías	has esperado
espera	esperaba	esperó	esperará	esperaría	ha esperado
esperamos	esperábamos	esperamos	esperaremos	esperaríamos	hemos esperado
esperáis	esperabais	esperasteis	esperaréis	esperaríais	habéis esperado
esperan	esperaban	esperaron	esperarán	esperarían	han esperado

🔊))) learnverbs.com

Sub.	Presente	Imperfecto	Pretérito	Futuro	Cond.	Perfe
Yo	saludo	saludaba	saludé	saludaré	saludaría	he salu
Tú	saludas	saludabas	saludaste	saludarás	saludarías	has salu
Él Ella Ud.	saluda	saludaba	saludó	saludará	saludaría	ha salu
Nos.	saludamos	saludábamos	saludamos	saludaremos	saludaríamos	hem saluc
Vos.	saludáis	saludabais	saludasteis	saludaréis	saludaríais	habe saluc
Ellos Ellas Uds.	saludan	saludaban	saludaron	saludarán	saludarían	han sal

learnverbs.com

Presente	Imperfecto	Pretérito	Futuro	Cond.	Perfecto
viajo	viajaba	viajé	viajaré	viajaría	he viajado
viajas	viajabas	viajaste	viajarás	viajarías	has viajado
viaja	viajaba	viajó	viajará	viajaría	ha viajado
viajamos	viajábamos	viajamos	viajaremos	viajaríamos	hemos viajado
viajáis	viajabais	viajasteis	viajaréis	viajaríais	habéis viajado
viajan	viajaban	viajaron	viajarán	viajarían	han viajado

🔊))) learnverbs.com

Sub.	Presente	Imperfecto	Pretérito	Futuro	Cond.	Perfe
Yo	choco	chocaba	choqué	chocaré	chocaría	he cho
Tú	chocas	chocabas	chocaste	chocarás	chocarías	has che
Él Ella Ud.	choca	chocaba	chocó	chocará	chocaría	ha cho
Nos.	chocamos	chocábamos	chocamos	chocaremos	chocaríamos	hem choc
Vos.	chocáis	chocabais	chocasteis	chocaréis	chocaríais	hab choc
Ellos Ellas Uds.	chocan	chocaban	chocaron	chocarán	chocarían	han ch

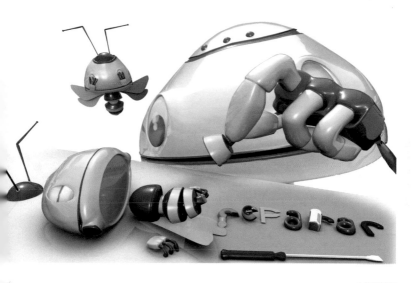

learnverbs.com

Presente	Imperfecto	Pretérito	Futuro	Cond.	Perfecto
reparo	reparaba	reparé	repararé	repararía	he reparado
reparas	reparabas	reparaste	repararás	repararías	has reparado
repara	reparaba	reparó	reparará	repararía	ha reparado
reparamos	reparábamos	reparamos	repararemos	repararíamos	hemos reparado
reparáis	reparabais	reparasteis	repararéis	repararíais	habéis reparado
reparan	reparaban	repararon	repararán	repararían	han reparado

🔊))) learnverbs.com

Sub.	Presente	Imperfecto	Pretérito	Futuro	Cond.	Perfec
Yo	callo	callaba	callé	callaré	callaría	he call
Tú	callas	callabas	callaste	callarás	callarías	has call
Él Ella Ud.	calla	callaba	calló	callará	callaría	ha cal
Nos.	callamos	callábamos	callamos	callaremos	callaríamos	hem calla
Vos.	calláis	callabais	callasteis	callaréis	callaríais	habéis c
Ellos Ellas Uds.	callan	callaban	callaron	callarán	callarían	han ca

andyGARNICA

learnverbs.com

Presente	Imperfecto	Pretérito	Futuro	Cond.	Perfecto
enciendo	encendía	encendí	encenderé	encendería	he encendido
enciendes	encendías	encendiste	encenderás	encenderías	has encendido
enciende	encendía	encendió	encenderá	encendería	ha encendido
encendemos	encendíamos	encendimos	encenderemos	encenderíamos	hemos encendido
encendéis	encendíais	encendisteis	encenderéis	encenderíais	habéis encendido
encienden	encendían	encendieron	encenderán	encenderían	han encendido

🔊))) learnverbs.com

Sub.	Presente	Imperfecto	Pretérito	Futuro	Cond.	Perfec
Yo	llevo	llevaba	llevé	llevaré	llevaría	he lleva
Tú	llevas	llevabas	llevaste	llevarás	llevarías	has llev
Él Ella Ud.	lleva	llevaba	llevó	llevará	llevaría	ha lleva
Nos.	llevamos	llevábamos	llevamos	llevaremos	llevaríamos	hem llevac
Vos.	lleváis	llevabais	llevasteis	llevaréis	llevaríais	habéis ll
Ellos Ellas Uds.	llevan	llevaban	llevaron	llevarán	llevarían	han lle

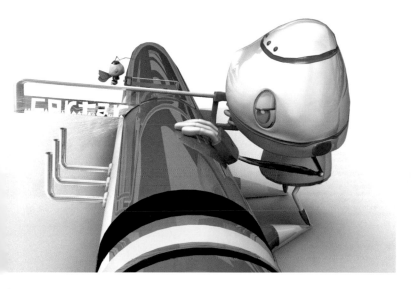

learnverbs.com

Presente	Imperfecto	Pretérito	Futuro	Cond.	Perfecto
corto	cortaba	corté	cortaré	cortaría	he cortado
cortas	cortabas	cortaste	cortarás	cortarías	has cortado
corta	cortaba	cortó	cortará	cortaría	ha cortado
cortamos	cortábamos	cortamos	cortaremos	cortaríamos	hemos cortado
cortáis	cortabais	cortasteis	cortaréis	cortaríais	habéis cortado
cortan	cortaban	cortaron	cortarán	cortarían	han cortado

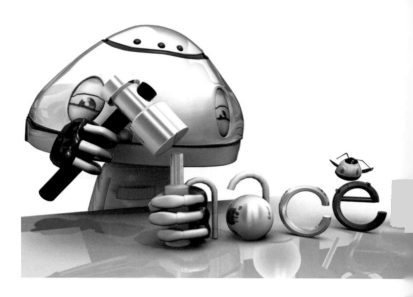

🔊))) learnverbs.com

Sub.	Presente	Imperfecto	Pretérito	Futuro	Cond.	Perfec
Yo	hago	hacía	hice	haré	haría	he hec
Tú	haces	hacías	hiciste	harás	harías	has he
Él Ella Ud.	hace	hacía	hizo	hará	haría	ha hec
Nos.	hacemos	hacíamos	hicimos	haremos	haríamos	hemos h
Vos.	hacéis	hacíais	hicisteis	haréis	haríais	habéis h
Ellos Ellas Uds.	hacen	hacían	hicieron	harán	harían	han he

learnverbs.com

b.	Presente	Imperfecto	Pretérito	Futuro	Cond.	Perfecto
	grabo	grababa	grabé	grabaré	grabaría	he grabado
	grabas	grababas	grabaste	grabarás	grabarías	has grabado
la l.	graba	grababa	grabó	grabará	grabaría	ha grabado
s.	grabamos	grabábamos	grabamos	grabaremos	grabaríamos	hemos grabado
s.	grabáis	grababais	grabasteis	grabaréis	grabaríais	habéis grabado
os as s.	graban	grababan	grabaron	grabarán	grabarían	han grabado

to e

🔊 learnverbs.com

Sub.	Presente	Imperfecto	Pretérito	Futuro	Cond.	Perfect
Yo	como	comía	comí	comeré	comería	he comi
Tú	comes	comías	comiste	comerás	comerías	has com
Él Ella Ud.	come	comía	comió	comerá	comería	ha comi
Nos.	comemos	comíamos	comimos	comeremos	comeríamos	hemo comid
Vos.	coméis	comíais	comisteis	comeréis	comeríais	habéi comic
Ellos Ellas Uds.	comen	comían	comieron	comerán	comerían	han com

Presente	Imperfecto	Pretérito	Futuro	Cond.	Perfecto
paseo	paseaba	paseé	pasearé	pasearía	he paseado
paseas	paseabas	paseaste	pasearás	pasearías	has paseado
pasea	paseaba	paseó	paseará	pasearía	ha paseado
paseamos	paseábamos	paseamos	pasearemos	pasearíamos	hemos paseado
paseáis	paseabais	paseasteis	pasearéis	pasearíais	habéis paseado
pasean	paseaban	pasearon	pasearán	pasearían	han paseado

🔊))) learnverbs.com

Sub.	Presente	Imperfecto	Pretérito	Futuro	Cond.	Perfe
Yo	estoy	estaba	estuve	estaré	estaría	he est
Tú	estás	estabas	estuviste	estarás	estarías	has es
Él Ella Ud.	está	estaba	estuvo	estará	estaría	ha es
Nos.	estamos	estábamos	estuvimos	estaremos	estaríamos	hemos
Vos.	estáis	estabais	estuvisteis	estaréis	estaríais	habéis
Ellos Ellas Uds.	están	estaban	estuvieron	estarán	estarían	han es

learnverbs.com

	Presente	Imperfecto	Pretérito	Futuro	Cond.	Perfecto
	paro	paraba	paré	pararé	pararía	he parado
	paras	parabas	paraste	pararás	pararías	has parado
a.	para	paraba	paró	parará	pararía	ha parado
s.	paramos	parábamos	paramos	pararemos	pararíamos	hemos parado
s.	paráis	parabais	parasteis	pararéis	pararíais	habéis parado
os as s.	paran	paraban	pararon	pararán	pararían	han parado

Indice

abrir ....to open 15
acabar ....to finish............54
amar ....to love 75
andar ....to walk 80
aprender............to learn 50
arrestar.............to arrest 86
bailar ....to dance............7
bajar ....to go down 19
beber ....to drink 16
besar ....to kiss 68
buscar ....to look for 27
caer ....to fall 26
callar ....to be quiet 92
cambiar ....to change...........49
cantar ....to sing 17
casarse ....to get married 72
cerrar ....to close 38
chocar ....to crash 90
cocinar ....to cook 13
comer................to eat 98
comprar ....to buy 69
conducir...........to drive 58
construir............to construct 61
contar ....to count 59
correr ....to run 25
cortar ....to cut 95
crear.................to create 5
crecer ....to grow 11
dar ....to give 66
decidir ....to decide 47
dejar.................to quit 9
despertar ....to wake up...........24
dirigir...............to direct 1
dormir...............to sleep 18
ducharse............to shower...........29
empezar ....to start 53
encender ....to light 93
encontrar ....to find 10
entrar ....to enter 82
escribir..............to write 64
esperar ....to wait 87
estar ....to be 100
estudiar ....to study 51
evaluar ....to test 57
ganar ....to win 55
girar ....to turn 77
grabar ....to record 97
gritar ....to scream...........34
gustar ....to like 14
hablar................to speak 42
hacer ....to make 96

ir ....to go ....
jugar.................to play ....
leer ....to read ....
limpiar ....to clean ....
llamar...............to call ....
llegar ....to arrive ....
llevar ....to carry ....
llover ....to rain ....
mentir ....to lie ....
mostrar...............to show ....
nadar ....to swim ....
oír ....to hear ....
olvidar ....to forget ....
ordenar...............to organise ....
pagar ....to pay ....
parar.................to stop ....
pasear...............to stroll ....
patear ....to kick ....
pedir.................to ask (for) ....
peinarse ....to comb ....
pelear ....to fight ....
pensar ....to think ....
perder ....to lose ....
pintar ....to paint ....
poder ....to be able to ....
poner ....to put ....
prohibir ....to forbid ....
pulir ....to polish ....
querer...............to want ....
recibir ....to receive ....
recordar...............to remember ....
reparar ....to repair............
saber ....to know ....
salir ....to go out ....
saltar ....to jump ....
saludar ....to wave ....
seguir ....to follow ....
sentarse ....to sit down ....
separar ....to separate............
ser ....to be ....
soñar ....to dream ....
tener...................to have............
traer ....to bring ....
tropezar ....to trip ....
venir...................to come ....
ver ....to see ....
vestirse...............to get dressed ....
viajar ....to travel ....
vigilar ....to watch ....
volver...................to return ....

...est	arrestar	86
...ive	llegar	32
...(for)	pedir	81
...	ser	46
...	estar	100
...able to	poder	4
...quiet	callar	92
...ng	traer	12
...y	comprar	69
...	llamar	83
...ry	llevar	94
...nge	cambiar	49
...an	limpiar	62
...mb	peinarse	30
...se	cerrar	38
...ne	venir	84
...struct	construir	61
...k	cocinar	13
...nt	contar	59
...sh	chocar	90
...ate	crear	5
...	cortar	95
...ce	bailar	7
...ide	decidir	47
...ct	dirigir	1
...am	soñar	52
...k	beber	16
...e	conducir	58
...	comer	98
...r	entrar	82
...	caer	26
...t	pelear	36
...	encontrar	10
...sh	acabar	54
...ow	seguir	85
...id	prohibir	73
...et	olvidar	39
...dressed	vestirse	31
...married	casarse	72
...	dar	66
...	ir	71
...own	bajar	19
...ut	salir	28
...v	crecer	11
...	tener	2
...	oír	35
...p	saltar	76
...	patear	44
...	besar	68
...v	saber	48
...	aprender	50

to lie	mentir	56
to light	encender	93
to like	gustar	14
to look for	buscar	27
to lose	perder	23
to love	amar	75
to make	hacer	96
to open	abrir	15
to organise	ordenar	60
to paint	pintar	6
to pay	pagar	70
to play	jugar	21
to polish	pulir	63
to put	poner	22
to quit	dejar	9
to rain	llover	41
to read	leer	8
to receive	recibir	65
to record	grabar	97
to remember	recordar	40
to repair	reparar	91
to return	volver	79
to run	correr	25
to see	ver	33
to separate	separar	37
to scream	gritar	34
to show	mostrar	67
to shower	ducharse	29
to sing	cantar	17
to sit down	sentarse	20
to sleep	dormir	18
to speak	hablar	42
to start	empezar	53
to stop	parar	101
to stroll	pasear	99
to study	estudiar	51
to swim	nadar	74
to test	evaluar	57
to think	pensar	45
to travel	viajar	89
to trip	tropezar	43
to turn	girar	77
to wait	esperar	87
to wake up	despertar	24
to walk	andar	80
to want	querer	3
to watch over	vigilar	78
to wave	saludar	88
to win	ganar	55
to write	escribir	64

Acknowledgements

Julian Wilkins,
Jody Ross Deane,
Andy Garnica
Carolina Medrano
Simone Ryder
Jack McGuckian
Tom Young
Christopher Brown
Chatter

And special thanks to all the team at
Promethean (Especially Julia Glass).

And Kiki

About the Author

Rory Ryder created the idea and concept of *VERBOTS LEARN* after finding most verb books time consuming and outdated. Most of the people he spoke to, found it very frustrating trying to remember the verbs and conjugations simply by repetition. He decided to develop a book that makes it easy to remember the key verbs and conjugations but which is also fun and very simple to use. Inspired by Barcelona, where he now lives, he spends the majority of his time working on new and innovative ideas.

Sobre el Autor

Rory Ryder ideó la colección *VERBOTS APRENDE* tras descubrir que la mayoría de gramáticas basaban el aprendizaje de los verbos y sus conjugaciones en la repetición constante de estructuras. Un enfoque anticuado que exige un gran esfuerzo al alumno, provocando muchas veces su desinterés. Este método convierte al lector en sujeto activo, haciendo del estudio verbal una actividad fácil, agradable y amena. Una concepción creativa e innovadora, inspirada en Barcelona, ciudad donde reside actualmente.